AN BAILE GANDATH

ROBIN KLEIN

CRAIG SMITH *a mhaisigh*

An tÁisaonad a d'aistrigh

IMIGH   LEAT

Tá geata mór meirgeach taobh amuigh den Bhaile Gandath agus in aice leis an gheata sin tá comhartha a deir:

> **Cosc ar gháire**
> **cosc ar chraic**
>
> **Cosc ar ghreann**
>
> **Cosc ar éin**
> **ach amháin bultúir**
>
> **Déan gáire**
> **agus cuirfidh an**
> **gruamach**
> **i bpríosún thú**

Bhí an príosún folamh an chuid is mó den am, nó níor bhain duine ar bith sult as an saol ar scor ar bith.

Cuirfidh an Gruamach
i bpríosún duine
ar bith a
bhíonn ag rith

Bhí clúdach mór, déanta as éadach liath, crochta os cionn an Bhaile Gandath le cosc a chur ar sholas na gréine. Liath an dath ab fhearr leis an Ghruamach.

In amanna, bhíodh scoilt bheag sa chlúdach seo agus bhíodh ga beag gréine nó cúpla réalta nó giota de thuar ceatha le feiceáil ach bhí

foireann speisialta gardaí ag an Ghruamach
leis na poill a chóiriú láithreach.

I ngach sráid ar an Bhaile Gandath
bhí fógraí de rialacha agus d'orduithe an
Ghruamaigh ann.

Ná siúil ar an choincréit, cosc ar fhéar, agus
is baile dáiríre é seo – cosc ar shúgradh!

Cosc ar
chuairteoirí.

Ba dhuine iontach tábhachtach cumhachtach
é an Gruamach. Bhí sé ina chónaí i gcaisleán
mór agus bratach ar an túr a raibh 'Cosc
ar chuairteoirí' scríofa uirthi. Níor bhog an
bhratach sa ghaoth, ní bheadh sé sin gruama
go leor, mar bhí sí déanta de mhiotal trom.

Bhí cócaire ag an Ghruamach agus dá dhinnéar ba ghnách léi seanphrátaí cnapánacha, spaigití fuar agus cístí dóite a thabhairt dó.

Níor tháinig duine ar bith ar cuairt chuig an chaisleán ach ní bheadh dúil ar bith acu ann cibé. Bhí na leapacha chomh crua le cloch agus baineadh na bolgáin uilig amach as na lampaí. Ní raibh uisce te ar bith ann agus sa samhradh féin bhíodh na seomraí sioctha fuar.

Ní raibh cead ag daoine dath ar bith ach amháin liath a bheith ar a gcuid éadaí agus bhí riail ann go raibh ar dhaoine cuma bhrónach a bheith orthu. Mar sin de, bhí béal gach duine ag titim síos ag na coirnéil agus bhí línte trasna chlár éadain gach duine.

Ba ghnách le daoine dul thart agus 'Breithlá brónach duit' a rá agus is é an freagra a fuair siad, 'Cad é an rud é breithlá?'

Bhí na páistí i gcónaí ag caoineadh. Bhí dúil mhór ag an Ghruamach sa chaoineadh. Bhí cruinniú ag muintir an Bhaile Gandath

gach seachtain, agus cibé duine a raibh an aghaidh is brónaí air, cibé páiste a raibh an caoineadh is airde aige, cibé duine a d'inis an scéal is gruama, bhain siad uilig duais. Is iad na duaiseanna a bhí ann ciarsúir gharbha liatha agus nuair a scríob siad dá súile iad tháinig i bhfad níos mó deor amach.

Arsa Brónach Ní Mhíshásta lá, "A leithéid de lá! Stróic mé an gúna liath is fearr atá agam, chaill mé mó scáth fearthainne liath agus ansin, bhuail capall liath cic orm!"

"Síleann tú go bhfuil sé sin go holc?" arsa Mailí Ní Mhallaithe. "Tá an babaí ag gearradh fiacla agus níor chodail mise néal aréir. Nuair a d'éirigh mé chuaigh m'ordóg i bhfostú sa sconna agus bhí mé sa seomra folctha ar feadh dhá uair an chloig!"

"Chonaic mise tuar ceatha míofar tríd scoilt sa chlúdach," arsa Feargán Ó Feirge go fadálach. "Bhí mé tinn i rith an lae ina dhiaidh sin."

Shíl daoine gur rud iontach deas a bhí ann bheith ag caint ar an tinneas a bhí orthu. Bhíodh siad ag síorchaint ar thinneas cinn, ar

12

shlaghdán agus ar ghalair a bhí gan leigheas. Má mhothaigh tú go maith choinnigh tú ina scéal rúin é.

D'amharcfadh daoine go haisteach ort dá ndéarfá go raibh tú *go maith*, ionann is go raibh tú iontach dímhúinte. Níor tháinig cuairteoirí ar bith chuig an Bhaile Gandath ach amháin mionbheithígh bheaga: cruimheanna cabáiste, damháin alla agus péisteanna talún. Rachadh siad ó thaobh amháin den bhaile go dtí an taobh eile chomh gasta agus is féidir agus

déarfadh siad lena chéile, "A leithéid d'áit. Ní bheidh mé ar ais!"

B'áit bhrónach ghruama amach is amach é an Baile Gandath. Ach ní raibh fios an difir ag muintir an bhaile mar go raibh geataí an bhaile i gcónaí faoi ghlas.

Anois, bhí deirfiúr ag Feargán Ó Feirge, deirfiúr darbh ainm Aoibhinn Ní Fheirge. Rinne an chuid eile den teaghlach iarracht a theagasc di gur chóir cuma bhrónach a bheith uirthi i rith ama, ach ba chuma cad é a dúirt siad chuaigh coirnéil a béil in airde agus bhí loinnir ina súile. Chomh maith leis sin, bhí loigíní beaga ar a leicne a chuir cuma shásta uirthi, ach chuir a máthair téip liath sa mhullach orthu. Ní raibh Aoibhinn ábalta siúl go spadánta lena ceann crom mar a rinne an chuid eile de mhuintir an Bhaile Gandath. Bhí an chuma ar a cosa go raibh siad réidh i gcónaí le dul a dhamhsa nó a scipeáil nó a léim.

"Is cúis náire don teaghlach thú!" arsa Bean Uí Fheirge. "Amharc Feargán s'againne. Thig leis cuma chomh gruama leis an Ghruamach féin a chur air. Agus Gobnait s'againne, thug an Gruamach post di. Caithfidh sí a chinntiú nach bhfásann rud ar bith glas ar an bhaile seo. "Agus mise! Ardcheoltóir i gCór na mBrón! Caithfidh tú do dhícheall a dhéanamh, a Aoibhinn. Cuir i gcás go bhfaca an Gruamach thú agus an chuma amaideach sin ar do bhéal!"

"Níl neart agam air," arsa Aoibhinn. "Bím i gcónaí ag smaoineamh ar rudaí nach bhfuil liath agus tagann an chuma sin ar mo bhéal."

"Cén cineál rudaí, a Aoibhinn?"

Níor maith le hAoibhinn a rá, ar eagla na heagla. Inné, tháinig sí ar bholb beag glas. De réir an dlí ar an Bhaile Gandath, má fhaigheann tú ainmhithe beaga caithfidh tú fios a chur ar ghardaí an bhaile agus caitheann siadsan amach as an bhaile iad. Ach thóg Aoibhinn an bolb ina lámh i ngan

fhios do dhuine ar bith. Chuir cosa beaga an bhoilb aoibhneas ar a croí, tháinig na loigíní tríd an téip liath agus tháinig aoibh an gháire ar a haghaidh bheag shásta.

Nuair a chuir sí an bolb ar ais ar an choincréit, d'imigh sé ina rith faoi scoilt sa bhalla.

Chrom Aoibhinn síos, d'amharc sí faoin scoilt agus chonaic sí féar agus bláth beag ag fás ar an taobh eile den bhalla. Bhí a fhios aici gur bláth a bhí ann mar chuir an Gruamach an póstaer seo sa scoil:

Seo pictiúr de bhláth

Is rud gránna é a bhfuil drochbholadh air:

Is é is cúis le tinneas darb ainm fiabhras léana

Ach ní raibh neart aici air. Nuair a d'amharc sí ar an bhláth chuaigh coirnéil a béil suas a fhad leis na cluasa. Chuir sí náire an domhain ar mhuintir Uí Fheirge.

Lá amháin, ag an chruinniú sheachtainiúil,

nuair a bhí seal s'aici ann, ní thiocfadh léi smaoineamh ar rud ar bith gruama ná brónach a tharla di.

"A Aoibhinn," arsa a máthair, "caithfidh sé gur tharla drochrud éigin duit."

"Mmm....Fan go bhfeicfidh mé....Chodail mé an oíche ar fad."

"Nach raibh tromluí agat?" arsa an Gruamach go feargach. Ach ní raibh. Bhí brionglóid aici go raibh sí ag eitilt sa spéir os cionn an Bhaile Gandath ar chapall a raibh eiteoga órga air. Bhí a fhios aici cad é an dath é órga mar lá amháin, chonaic sí solas órga ag teacht tríd scoilt sa chlúdach sular cóiríodh é.

"Ní raibh an brachán go deas ar maidin," ar sise go múinte.

"Níor chóir go mbeadh," arsa Aoife Ní Mhíofar. "Níl dúil ag duine ar bith againn inár gcuid bracháin. Bíonn sé i gcónaí fuar cnapánach. Nár ghortaigh tú thú féin? Nár tharla tubaiste ar bith duit?"

Is fíor gur ghortaigh Aoibhinn í féin. Thit sí. Bhíodh sí i gcónaí ag titim. Ach níor mhaith léi a insint do dhuine ar bith mar thit sí cionn is go raibh sí ag rith. Bhí cosc ar an rith ach thuirling sí ar sheanleaba agus phreab sí (bhí an tseanleaba ina luí i lár an bhaile mar shíl an Gruamach go gcuirfeadh sí cuma níos fearr ar an áit). Phreab sí agus phreab sí léi ar feadh cúig bhomaite ar a laghad. Bhí cosc, ar ndóigh, ar an phreabadh ar an Bhaile Gandath.

"A Ghruamaigh," arsa Aoibhinn go muiníneach, "an dtiocfadh leat a mhíniú dúinn cad chuige a bhfuil cosc ar an phreabadh?"

Chuir an Gruamach cuma iontach feargach air féin. Níor chuir duine ar bith ceist mar sin riamh roimhe air.

"Ó, ó," arsa duine éigin i gcogar, "cuirfidh sé an cailín beag sin i bpríosún."

Scairt mamaí Aoibhinn amach, "Ná tabhair aird ar bith uirthi, a Ghruamaigh uasail! Tá fiabhras uirthi agus níl a fhios aici cad é atá sí a rá! Tá eagla orm gur fiabhras contúirteach atá ann."

Bhí an Gruamach iontach sásta an scéal sin a chluinstin agus, ar seisean, "Tabhair chuig an ospidéal í."

Ní raibh Aoibhinn ag iarraidh dul chuig an ospidéal. Bhí an t-ospidéal brónach gruama liath, díreach cosúil le héide na mbanaltraí, agus bhí na leapacha i gcónaí fuar.

Chuir siad pitseámaí liatha ar Aoibhinn agus chuir siad ina luí ar leaba liath fhuar í. Bhí comharthaí i ngach áit:

Cosc ar chártaí nílimid ag dúil go dtiocfaidh biseach ort

Cosc ar chuairteoirí

Cosc ar 'tá cuma mhaith ort' a rá le hothair eile

Ba chóir drochbhlas a bheith ar gach cógas

Bhí cuma iontach gruama ar na hothair uilig. Ní raibh rud ar bith le déanamh acu ach luí ar a leapacha agus bheith ag caint ar chomh tinn agus a bhí siad anois agus chomh tinn agus a bhí siad anuraidh. Ba ghnách leis an Ghruamach cigireacht a dhéanamh ar an ospidéal le bheith cinnte go raibh an áit chomh brónach agus is féidir. Bhí duais le baint – buidéal te ach é líonta le ciúbanna oighir – ag an othar a chaith an seal is faide ann agus a raibh an phian is measa air.

"An bhfuil rud ar bith le léamh anseo?" arsa Aoibhinn le duine de na banaltraí.

"Cad chuige? Nach bhfuil go leor smúite ort agus tú i do luí ansin? Níl rud ar bith le léamh againn ach léarscáil den Bhaile Gandath."

Léigh Aoibhinn an léarscáil. Thug sí faoi deara nach raibh rud ar bith taobh thiar de na ballaí. Ní raibh thart ar an imeall ach cuid mhór bagairtí:

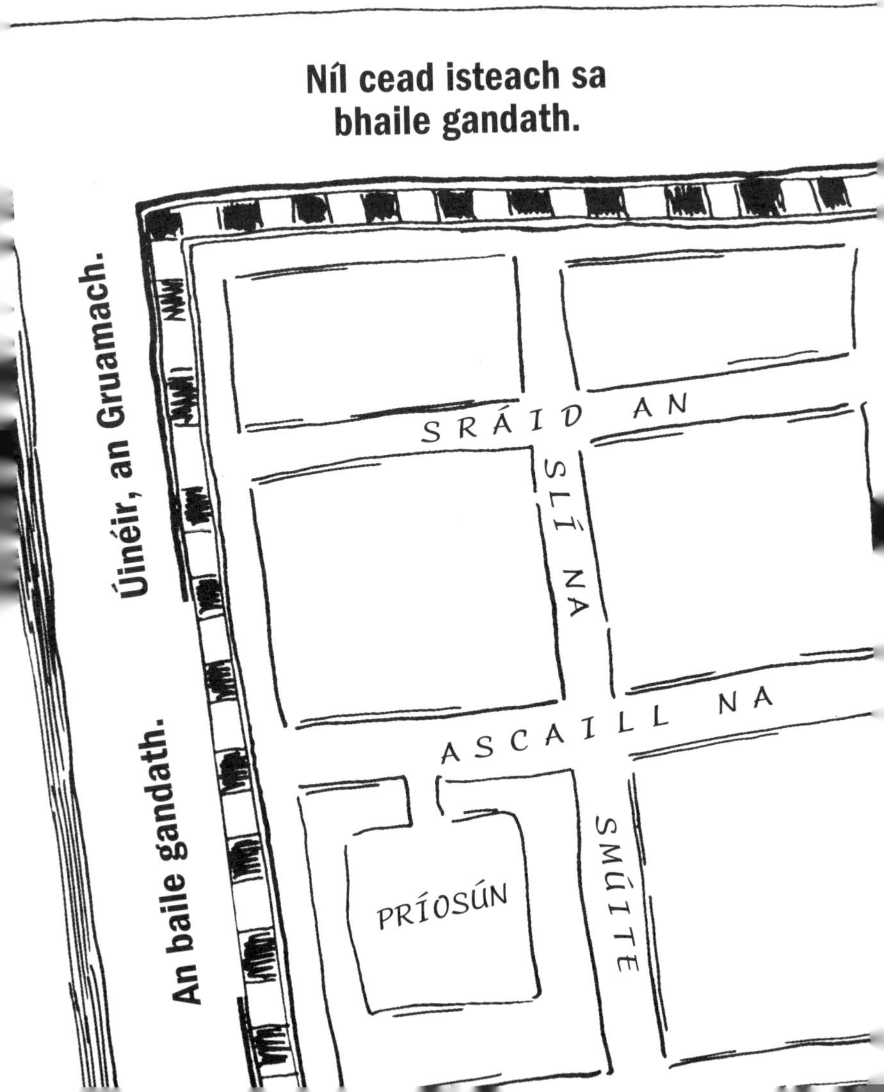

Níl cead isteach sa bhaile gandath.

Úinéir, an Gruamach.

An baile gandath.

SRÁID AN

SLÍ NA

ASCAILL NA

PRÍOSÚN

SMÚITE

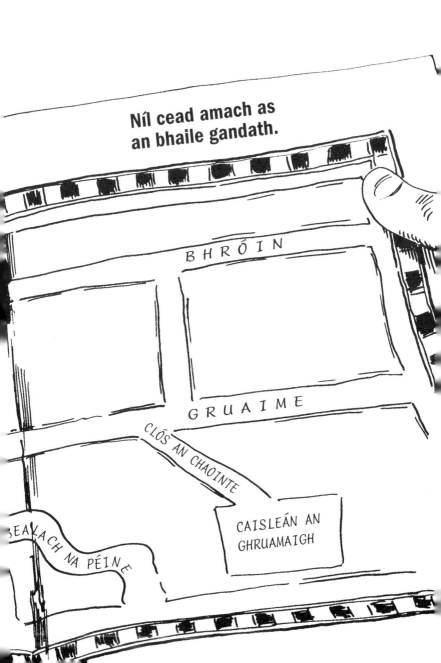

Níl cead amach as an bhaile gandath.

BHRÓIN

GRUAIME

CLÓS AN CHAOINTE

BEALACH NA PÉINE

CAISLEÁN AN GHRUAMAIGH

Bhí Aoibhinn ag smaoineamh go domhain. D'amharc sí tríd an scoilt sa bhalla inné, chonaic sí an féar agus an bláth, ach ní raibh siad sin ar an léarscáil.

Nuair a tháinig an bhanaltra ar ais lena suipéar (sú oráiste te, núdail reoite agus brocailí lofa), arsa Aoibhinn léi, "An raibh tú riamh taobh amuigh den Bhaile Gandath?"

Thit an bhanaltra i laige.

Nuair a tháinig sí thart, bhí sí ag rámhaille agus ag stánadh le hiontas agus le heagla ar Aoibhinn. "Tá an leanbh bocht sin ar mire glan!" ar sise. "Bhí sí ag caint liom faoi dhul amach as an bhaile! Ní labhraíonn duine ar bith faoi sin!"

Tháinig mamaí Aoibhinn lena tabhairt abhaile. Shíl siad go raibh sí róthinn le fanacht san ospidéal. "Tá mé go breá, a Mhamaí," arsa Aoibhinn.

"Bíodh múineadh ort, a leanbh! Ní deir duine ar bith ar an bhaile seo go bhfuil siad 'go breá'. Tá tú róthinn le dul ar scoil ar scor ar bith. Caithfidh tú fanacht sa bhaile. Cuirfidh sé sin deireadh leis an gháire agus leis an léim agus leis an phreabadh amaideach sin a bhíonn ar bun agat."

Níor mhiste le hAoibhinn gan dul ar scoil ach bhí sé deacair teacht ar rud ar bith suimiúil le déanamh ar an Bhaile Gandath leis an am a chur thart. Chuaigh sí suas chuig caisleán an Ghruamaigh agus bhí sé féin ina sheasamh ar an túr ag stánadh anuas uirthi agus cuma mhíshásta air. Chuir Aoibhinn an

34

chuma chéanna uirthi féin sa dóigh nach gcuirfeadh sé ar ais chuig an ospidéal í. Ansin d'amharc sí ar chúpla fear a bhí ag scríobh comharthaí nua:

"Tá an Gruamach iontach crua, nach bhfuil?" arsa Aoibhinn le fear acu. Ní dúirt sé a dhath, ach phéinteáil sé comhartha úr:

'Níl cead ag babaithe gáire a dhéanamh', a scríobh sé.

"Ní thig le babaithe léamh," arsa Aoibhinn, ag iarraidh bheith cuidiúil.

"An bhfuil tú ag iarraidh bheith greannmhar?" arsa an fear eile. "Nach bhfuil a fhios agat go bhfuil cosc ar an ghreann?"

Bhrúigh Aoibhinn anuas coirnéil a béil agus d'imigh sí léi. Chuaigh sí chuig na ballaí go bhfeicfeadh sí an dtiocfadh léi teacht ar rud ar bith suimiúil ansin. Bhí an scoilt i ndiaidh éirí rud beag níos mó ó bhrúigh gráinneog tríd i lár na hoíche. D'amharc Aoibhinn tríd. Chonaic sí an fear agus an bláth agus chuala sí rud éigin aisteach ach álainn.

Ceol brónach ar orgán mór liath an t-aon cheol a bhí ceadaithe ar an Bhaile Gandath. B'éigean do gach duine dul a éisteacht leis gach tráthnóna agus bhí an Gruamach ag dúil le gach duine bheith ag caoineadh. Chomh maith leis an orgán, bhíodh Cór na mBrón ann chomh maith.

Ach an ceol seo. Ceol eile ar fad a bhí ann.
Bhí sé binn aerach gan brón ar bith ann.
Chuirfeadh sé fonn ort bheith ag rith agus
ag léim agus ag damhsa tríd an bhaile mhór.
Chuir Aoibhinn a lámh tríd an scoilt agus stad
an ceol.

Cibé a bhí ag déanamh an cheoil, scanraíodh é agus d'imigh sé leis. "Caithfidh sé gur éan a bhí ann," arsa Aoibhinn léi féin. Bhí póstaer sa scoil a dúirt:

Seo pictiúr d'éan

Is ainmhí bómánta amaideach é nach dtig leis ceol mar is ceart

Thosaigh Aoibhinn a iarraidh an scoilt a dhéanamh níos mó. Bhí sí ag tarraingt píosaí beaga cloiche as an bhealach agus bhí an scoilt mór go leor lena lámh a chur isteach. Ansin stad sí mar bhí sé in am di dul chuig an cheolchoirm sa chearnóg i lár an bhaile. Bhí ar gach duine dul ann lena chinntiú go rachadh siad uilig abhaile agus iad faoi smúit.

Roimh an cheolchoirm, léigh an Gruamach liosta amach de na rudaí uilig nach mbeadh ar fáil an lá ina dhiaidh. Ní bheadh im, snasán bróg ná scuaba gruaige ar bith ann. Ní bheadh cead ag daoine níos mó ná trí phíosa guail a chur ar an tine. Dúirt sé go raibh cuid de na daoine ag scuabadh a gcuid gruaige rómhinic agus an chuma ar chuid acu gur bhain siad sult as.

"Tá sé sin scannalach!" arsa gach duine. "Millteanach ar fad! Ní mise a bhí ann!"

"Ciúnas iomlán do cheol orgáin na mbrón," arsa an Gruamach de scread.

Bhí ardán speisialta sa chearnóg a bhí clúdaithe le héadach liath. Bhí an t-orgán a sheinn an Gruamach féin ar an ardán seo.

Go díreach nuair a shuigh sé síos le seinm agus a thosaigh Cór na mBrón a dhéanamh réidh don chéad véarsa de 'Is Bocht agus Gruama Mo Shaol', d'eitil éan beag isteach tríd an scoilt a rinne Aoibhinn sa bhalla. D'eitil sé anseo is ansiúd faoin chlúdach liath agus é ag ceol leis. Bhí gach duine ag éisteacht agus iad faoi dhraíocht agus go tobann rinne leanbh beag, a bhí ina shuí ina phram, gáire.

"Cuir stop leis an gháire sin nó cuirfidh mé an leanbh sin i bpríosún!" arsa an Gruamach. Chuir sé cuid de na gardaí sa tóir ar an éan ach, ar ndóigh, ní thiocfadh leo é a cheapadh.

Bhí Aoibhinn ag amharc go cúramach ar gach rud a tharla. Níor ghnách léi amharc ar an chlúdach liath, ach amháin nuair a bhí na fir thuas ar an scafall á chóiriú. Bhí sé i gcónaí ansin mar a bheadh scamall mór gruama brónach smúitiúil leamh liath ann.

Rinne an t-éan beag poll ar an chlúdach lena ghob agus tháinig ga galánta gréine órga tríd.

D'eitil an t-éan beag leis amach as an Bhaile Gandath agus é ag ceol leis.

Chlúdaigh an Gruamach a shúile agus
scread sé in ard a chinn, "A Ghardaí! Suas
libh agus cóirígí an poll! Tá an stuif órga sin
nimhiúil!"

Chlúdaigh na tuismitheoirí súile a gcuid
páistí agus thug siad abhaile iad a fhad is a
bhí an poll á chóiriú. Ach thit an ga gréine ar
aghaidh Aoibhinn. Níor mhothaigh sé nimhiúil
aici, ach deas bog teolaí.

An oíche sin nuair a bhí gach duine ina gcodladh, thug Aoibhinn léi siosúr agus shleamhnaigh sí isteach go lár an bhaile. Suas léi ar an scafall agus chuir sí a lámha os a cionn. Mhothaigh sí an clúdach.

Bhí sé bog fuar mar a bheadh rubar ann.
Chuir sé craiceann dineasáir i gcuimhne di.
Bhí póstaer de dhineasár sa scoil a dúirt:

Seo dineasár
mór liath gruama

Ainmhí breá ach,
ar an drochuair,
imithe in éag

Smaoinigh Aoibhinn go ndéanfadh sí cuid mhór poll sa dóigh go dtiocfadh leis an éan eitilt isteach arís am ar bith ar

mian leis agus go dtiocfadh le solas na gréine teacht tríd arís.

Ba chuma léi bheith caite isteach i bpríosún an Ghruamaigh dá dtiocfadh an t-éan agus an ghrian ar ais. Rinne sí poll beag leis an siosúr agus ansin stróic sí an clúdach lena lámha. Shiúil sí trasna an scafaill agus rinne sí poill mhóra áit ar bith a dtiocfadh léi. Ansin stad sí agus d'amharc sí.

Ní raibh solas na gréine ann, ach rud éigin eile. Ar an taobh eile den chlúdach bhí na mílte mílte de rudaí beaga lonracha mar a bheadh lampaí beaga ann. Ní raibh siad ag bogadh ná ag eitilt ach bhí an chuma orthu go raibh siad ag damhsa suas is anuas san áit a raibh siad. Bhí cuid acu iontach lonrach agus cuid acu doiligh a fheiceáil ach bhí siad uilig ag damhsa leo!

Chaith Aoibhinn tamall fada ag amharc orthu agus nuair a tháinig sí anuas fuair sí greim ar an trealamh cóirithe don chlúdach agus chaith sí síos tobar é. D'imigh sí léi abhaile agus d'fhan ina suí go maidin.

Maidin lá arna mhárach, chruinnigh na daoine i gcearnóg an bhaile agus idir iontas agus eagla orthu. Bhí na lampaí beaga ar shiúl ach bhí solas na gréine ag teacht tríd na poill a bhí déanta ag Aoibhinn. Bhí rudaí eile ag teacht tríd fosta. Bhí siad cosúil le bláthanna – bláthanna a raibh eiteoga orthu agus iad ag eitilt thart ar shráideanna an Bhaile Gandath. Bhí rudaí eile san aer fosta a bhí cosúil le ceo a bhí ceangailte de ghais bheaga. Bhí siad seo ag tuirlingt ar aghaidh daoine agus ag baint geite astu.

"Bailígí na féileacáin ghránna sin agus na síolta caisearbháin sin láithreach!" a d'ordaigh an Gruamach. "Tá sé seo millteanach! Gach duine suas ar na scafaill agus cóirígí an clúdach!" Suas leis ansin go barr an túir go bhfeicfeadh sé gach duine ag obair. "Seo an lá is measa i stair an bhaile seo!" ar seisean. Ba chóir go mbeadh sé iontach sásta faoi sin ach bhí muintir an bhaile ag cur isteach air, an dóigh a raibh siad ag stánadh ar na féileacáin agus ar na síolta. Ba chóir dóibh bheith ag cóiriú an chlúdaigh.

"Tá siad róghasta dúinn," arsa duine de na gardaí. "Agus ní thig linn teacht ar an trealamh leis an chlúdach a chóiriú. Chuardaigh muid gach áit."

"Osclaígí geataí an bhaile agus cuirigí an ruaig ar na féileacáin. Agus ansin caithfidh gach duine an clúdach a chóiriú lena lámha!"

Níor oscail duine ar bith na geataí le caoga bliain. Nuair a bhrúigh na gardaí orthu ar dtús níor bhog siad ar chor ar bith agus ansin, go tobann, thit siad as a chéile ar fad ar an talamh. Dhoirt solas na gréine isteach mar a bheadh farraige mhór óir ann.

D'amharc Aoibhinn amach. Bhí páirc mhór ghlas ann agus í lán de bhláthanna beaga buí agus d'fhéileacáin agus d'éin ag damhsa tríd an aer. Bhí sruthán beag uisce ann fosta. Rith Aoibhinn amach.

"A Aoibhinn, tar ar ais anseo láithreach!" arsa a máthair agus eagla an domhain uirthi. "Tá an áit sin lán galair agus tinnis. Caithfimid uilig an clúdach a chóiriú!"

Dhreap Aoibhinn suas ar na ballaí agus chonaic sí go raibh an clúdach cosúil le clár ar bhosca. Shocraigh sí go dtógfadh sí clár an bhosca. Bhí sí cinnte go gcuirfeadh an Gruamach i bpríosún í ach ba chuma léi. Rug sí greim ar phíosa den chlúdach agus stróic sí é. Shiúil sí feadh an bhalla ag stróiceadh píosaí léi agus ag amharc síos ar aghaidheanna mhuintir an Bhaile Gandath, aghaidheanna a bhí ag amharc suas uirthise.

"Cuir stop léi!" a scairt cuid acu. "Sin an Aoibhinn sin a dtéann a béal suas ag na coirnéil agus a bhíonn i gcónaí ag rith agus ag feadaíl!"

Bhí fonn feadaíola ar Aoibhinn anois agus thosaigh sí. Bhí sí ag baint an dúshuilt as an chlúdach liath ghruama a stróiceadh as a chéile. Shoilsigh an ghrian anuas ar na sráideanna beaga agus bhí Aoibhinn cinnte de gur chuir sí cuma i bhfad níos fearr orthu.

"Tá cuma ghalánta oraibh agus an ghrian ag lonrú oraibh!" a scairt sí anuas ar na daoine. "Goitsigí aníos go bhfeicfidh sibh!"

"Níor chóir go mbeadh cuma ghalánta orainn!" arsa duine acu go feargach.

"Cad chuige nár chóir?" a d'fhiafraigh Aoibhinn.

"Sin an rud a dúirt an Gruamach!" arsa duine eile.

Ach ansin thosaigh siad a amharc ar a gcuid tithe agus, arsa fear amháin, "Leis an fhírinne a rá, níor mhiste dúinn cuid de na fuinneoga a ghlanadh. Níor thug mé faoi deara riamh cé chomh salach gruama liath a bhí siad. Ansin thost sé go tobann nuair a mhothaigh sé gach duine ag stánadh air.

Dhreap Aoibhinn gach áit ar an scafall agus stróic sí an clúdach ó bhun go barr. Bhí an Gruamach ag iarraidh í a stad ach chaith sí burla den chlúdach sa mhullach air.

Shiúil cuid de na páistí amach ar gheataí na cathrach. "Isteach ar ais anseo libh!" a scairt na tuismitheoirí leo, ach bhí na páistí i ndiaidh a fháil amach go dtiocfadh leo rolladh ar an fhéar agus nach raibh fógraí ar bith amuigh ansin agus 'cosc' scríofa orthu.

Tháinig buachaill as sráidbhaile in aice leo
an bealach agus é ag marcaíocht ar a chapall.
Stad sé agus d'amharc sé ar na geataí briste
agus ar Aoibhinn thuas ar an scafall agus ar
gach duine a bhí cruinn thart air. Bhí a fhios
aige gur dream aisteach iad muintir an Bhaile
Gandath agus gur chónaigh siad faoi ghlas
taobh istigh de scáth fearthainne mór liath, ach
ba bhuachaill múinte é agus ní dúirt sé ach,
"Maidin mhaith. Lá deas faoi choinne picnice."

Stán muintir an Bhaile Gandath air. Ní dúirt duine ar bith "Maidin mhaith" ar an Bhaile Gandath. "A leithéid de dhrochlá," a deireadh siad, nó "Ní fada go ham luí," nó "Bhí bricfeasta lofa agam ar maidin." Agus ní raibh a fhios acu cad é an rud í picnic.

"Picnic? Cad é sin?" a d'fhiafraigh siad.

"Och, tá a fhios agat. Cuireann tú do lón i gciseán agus itheann tú thíos cois na habhann é agus bíonn ceol agus craic agus spraoi agat.... Picnic!"

Ní raibh éadaí liatha ar bith ar an bhuachaill. Bhí léine dhearg air, hata buí, bríste gorm agus bhí fáinní beaga óir ina chluasa.

"Imigh leat láithreach nó cuirfidh mé i bpríosún thú!" arsa an Gruamach leis. "Níl gnó ar bith anseo agat agus an chuma ort go bhfuil tú chomh sásta le píobaire!"

"Cén seanduine dóite sin thuas ar an túr?" arsa an buachaill le hAoibhinn. "An boc sin a bhfuil aghaidh na muice air?"

"Sin an Gruamach," arsa Aoibhinn. "Is leisean an chathair seo."

"Amaidí!" arsa an buachaill. "Ní le duine amháin an chathair. Is libhse uilig í."

Thosaigh daoine a chogarnach agus a mhonabhar lena chéile agus d'amharc siad aníos go smaointeach ar an Ghruamach. Bhí seisean ag léim suas is anuas ar a thúr ar mhéad is a bhí d'fhearg air. "Ar ais taobh istigh de na ballaí libh láithreach!" a scread sé. "Nó cuirfidh mé sibh uilig i bpríosún!"

"Níl an príosún mór go leor dúinn uilig," arsa Aoibhinnn agus stróic sí an píosa deireanach den chlúdach. Dhoirt an ghrian a solas isteach ar an Bhaile Gandath ... agus d'imigh an eagla.

D'imigh siad amach ar na geataí, bhain siad díobh a gcuid bróg agus isteach san abhainn leo. Bhain cuid acu nóiníní le cur ina gcuid gruaige agus i dtobainne chuimhnigh seanbhean ar an dóigh le slabhra nóiníní a dhéanamh. Thosaigh coirnéal béal gach duine a thiontú aníos. Arsa Sorcha Ní Smúite, "Níl mo chosa nimhneach níos mó!" agus, arsa Dóra Ní Dhúir, "Tá ocras, ocras ceart, orm den chéad uair le fada!" Agus rinne an bheirt acu gáire. Ó tharla nach raibh duine ar bith

ag déanamh obair ar bith agus go raibh maidin chomh hiontach sin ann, chuaigh cuid den mhuintir is cróga isteach i gcaisleán an Ghruamaigh. Shiúil siad fud fad an chaisleáin agus sna seomraí faoi thalamh tháinig siad ar bhoscaí móra lán balún agus seodra agus seacláide agus hataí ildaite. Bhí daoine cineálta á gcur chuig an Bhaile Gandath le blianta anuas ach chuir an Gruamach iad i bhfolach agus faoi ghlas.

"Cuirigí na bronntanais sin ar ais san áit a bhfuair sibh iad láithreach!" a bhéic an Gruamach. "Is cur amú ama iad agus ní ligfidh mise do mhuintir an bhaile seo . . ."

"Cad é seo faoi 'ní ligfidh'?" a scairt duine éigin a bhí i ndiaidh seacláid a bhlaiseadh den chéad uair ina shaol.

"Fág uait an seodra sin!" a scairt an Gruamach. "Tá cosc ar sheodra!"

"An 'cosc' a dúirt sé?" arsa duine eile. "Is breá liomsa na coirníní dearga seo agus tá mé ag dul a gcoinneáil thart ar mo mhuineál! Tá mise tuirseach den 'chosc' agus den 'ní ligfidh'. Tuirseach de. Nach bhfuil tú féin tuirseach de, a Nábla Ní Straoise."

Fuair Nábla Ní Straoise naprún deas buí. Stróic sí an sean-naprún liath di féin agus chaith leis an Ghruamach é.

"Sin agat é!" ar sise, "Má tá dúil agat sa liath, cuir ort féin é . . . a sheanduine dhóite!"

"Stad de sin!" a scread an Gruamach agus fearg an domhain air. "Ná labhair thusa liomsa mar sin! Imígí uilig abhaile láithreach nó...."

Ach níor thug duine ar bith aird air. Rith sé thart ag iarraidh seacláid agus leabhair agus seodra agus balúin a bhaint amach as lámha daoine ach rinne gach duine neamhiontas de. De réir a chéile, rinneadh caint den screadach, cogarnach den chaint agus, ar deireadh, tost den chogarnach.

Ní raibh a fhios ag duine ar bith cad é a bhí le déanamh leis na balúin, ach thaispeáin an buachaill ar an chapall dóibh. Buachaill iontach foighneach a bhí ann. D'fhreagair sé a gcuid ceisteanna deacra uilig. "Cad chuige seodra?" agus "Cad é a dhéanann tú leis an pháipéar airgid

thart ar an tseacláid?" agus "Cad é an rud é rás trí chos?"

Mhothaigh Aoibhinn go raibh sé sábháilte go leor teacht anuas den scafall. Bhí gardaí an Ghruamaigh ina luí ar an fhéar cois na habhann, ag ithe seacláide agus ag cur hataí orthu féin. Bhí an Gruamach ag imeacht ar scor ar bith. Dúirt sé nach dtiocfadh leis bheith beo i measc daoine falsa, cainteacha, gealgháireacha, sásta.

Ní raibh an t-am ag duine ar bith slán a fhágáil leis. Bhí siad róghnóthach ag leagan bhallaí na cathrach agus an scafaill. Bheadh sé amaideach iad a fhágáil ansin anois go raibh na geataí leagtha agus an clúdach liath stróicthe anuas.

Agus sin mar a mhair siad go ceann na mblianta fada.